U0065889

星球卡爭奪戰

4

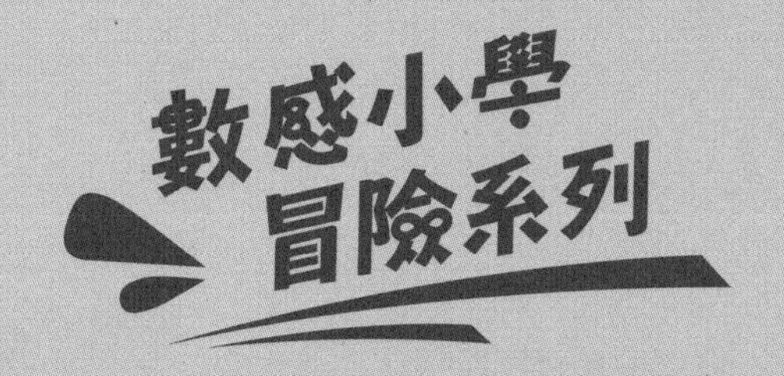

目錄

這本故事是在說……

924 是 9 個 100、2 個 10、4 個 1，從 9 往右每移一位小 10 倍。喘口氣，放一個點在 4 的右下方，就可以繼續往右，創造出比 1 小 10 倍，小 100 倍……的小數。小數可以表示「零碎」的數字，非常非常小的小數能「精準」的表示數字。

巧克力工廠很需要小數，跟客戶結帳的時候方便很多：「有了小數，客人就算買 0.5 箱，也能很快的算錢。」

來巧克力工廠玩的白熊在一旁附和：「我也需要小數，努力減肥了很久，只是成果無法用整數表示，得用小數。」

小哲跟叮叮在旁邊嗤嗤的笑，趕快翻開來，去問問白熊變輕了幾公斤吧。

人物介紹

叮叮

丁小美的綽號，就讀春日小學三年級，常在媽媽開的「慢慢等」早餐店幫忙，算術好，行動力強。

鳳凰露露

春日小學新來的宇宙數學社指導老師，她有個特別神祕的大包包，裡頭應有盡有，簡直就像個宇宙黑洞，這是怎麼回事呢？

故事提要

沒想到最討厭數學的小哲竟然加入宇宙數學社，而且社團集合地點竟然是在最不可思議的不可思億個巧克力工廠，難道巧克力爺爺有著其他身分嗎？突然間鳳凰露露老師出了個叮咚響的謎題，這次不僅要找出答案，還得面對另外一組神祕對手！

小 哲

蔡維哲的外號，從小跟著爸爸做訂製款的高級自行車，喜歡研究機械構造、組裝模型，更愛動手做。

白 熊

熊大為的身材像大熊，是溫暖的男孩，他蒐集了各式各樣的百科全書，立志將來也要寫一套自己的百科全書。

第一章

怪咖三人組

第一道秋風來到春日小學，孩子們期待的社團日終於到了。美食社在小胖卡車集合，熱門合唱團要社員去音樂教室。宇宙數學社的集合地點，竟然是在：「不可思億個巧克力工廠！」

叮叮的聲音也很不可思議：「這是真的嗎？」她和小哲、白熊都在宇宙數學社。

「你們不喜歡？」白熊呵呵笑。

「帥到不能再帥了！」小哲興奮的停好小摺，第一個衝進工廠裡。

巧克力工廠裡東西凌亂，幾個工人正在吵。

「一顆一顆怎麼算？」

「真是麻煩！」

上回帶他們參觀的大姐姐也在場，她搖搖頭：「唉呀，好複雜。」

原來，有間連鎖大賣場訂購巧克力，以前一箱一箱訂，一箱 8000 元，好記好算。

「這回他們訂 20 箱，還多加零散的 3 捆、2 袋、6 盒，這些不到一箱，怎麼算錢呢？」

叮叮看一看，她說：「1 箱裡有 10 捆，1 捆裡有 10 袋，1 袋裡有 10 盒。零散的用小數來記，那是 20.326 箱。」

她正要心算，小哲從書包拿出計算機：

「20.326×8000=162608 元。」

大姐姐笑一笑，把手一指：「宇宙數學社的孩子們，請進吧。」

「原來這是一場考驗啊？」叮叮喜歡冒險，拉著兩位男生跑進去。

訂貨單
訂好好吃巧克力
20箱3捆2袋6盒

20箱3捆2袋6盒
20.326箱
20.326X8000
=162608
20.326
X 8000

welcome
162608

寬敞的大廳，有二十幾位春日小學的孩子，他們都是宇宙數學社的社員。巧克力工廠的老爺爺也來了，他看到白熊：「減肥成功了嗎？」

上回來，老爺爺剛發明一種新口味巧克力，香氣濃郁、口感柔順，而且沒熱量，好吃又沒負擔。

「等你減肥成功，我送你一箱。」這是老爺爺和白熊的約定。

叮叮拍拍白熊的肚子：「你減了幾公斤？」

白熊三根手指在大家面前晃。

叮叮問：「3公斤？你一定要把減肥方法告訴我媽，她對體重最斤斤計較。不對，是克克計較，多1公克她都會尖叫。」

「嗯～」白熊有點不好意思的說：「不是3公斤，其實是0.3公斤。」

「0.3公斤？」巧克力爺爺搔搔頭：「這樣算減肥成功了嗎？」

「不算吧。」小哲拿出張集點卡：「集滿10格送公仔，我只有3格，也就是0.3，這樣子超商肯換個公仔給我嗎？」

「當然不行，不到1張啊。」叮叮回頭跟白熊說：「你現在只瘦0.3公斤，就跟貼紙一樣還沒集滿1張，太少了。」

「0.3公斤，我今天不吃午餐，馬上就減肥了。」小哲一說完，大家都笑了。

笑聲中，什麼聲音叮咚響？啊～鳳凰露露來了。一身火紅的她，走進活動教室：「歡迎泥們參加宇宙數學社，窩們在這裡玩數學、找數學，泥們準備好了嗎？」

「當然！」

歡呼與尖叫的聲音中，小哲納悶的問：「數學，數學除了考試，還有什麼好玩的？」

現場這麼吵，小哲的聲音又不大，鳳凰露露卻轉過頭來，定定的看著他：「泥的日常生活中，算錢要用數學、看錶要用數學、吃飯的卡路里、打球計時，樣樣都要數學來幫忙。泥說，數學重要嗎？」

「重要！」孩子們喊。

「還油，建造金字塔要計算、設計火箭也要算、搭橋建大樓更離不開數學。小朋友，想不想學好數學？」

「想。」

鳳凰露露嫵媚的笑了：「現在開始宇宙數學社的挑戰：分組收集 3 張宇宙星球卡，追先搶到 3 張星球卡的小組，可以代表春日小學跟其他宇宙數學社比賽。」

「還有別的宇宙數學社？」

「當然，不只地球啊！連金星、火星上都有呢。」

「金星跟火星？」大家都覺得鳳凰露露太誇張了：「老師是說鎮上其他小學吧。」

「對厚，我又忘了，是鎮上其塔小學。」鳳凰露露吐了吐舌頭。

叮叮不知道在哪本書上讀過，真話往往是直接脫口而出的話。

「鳳凰露露去過外太空？」叮叮覺得自己的想法有點荒謬，但是她回頭，白熊也正看著她，那表情就跟她一樣，像在問她：「鳳凰露露去過外太空？」

「她是太空人？」叮叮問。

「或是外星人？」白熊一臉正經。

他們的話還沒說完，小哲卻拉著他們說：「我們 3 個 1 組，星球卡一定是我們的，對不對？」

白熊問他：「剛來時你還一路抱怨，為什麼要參加這種算數學的無聊社團，現在還想跟別人搶星球卡？」

小哲好像沒聽到，他光顧著現場轉播：「你們看，那一組好好笑，矮的矮、胖的胖，還有個臭臉男生，簡直是 3 個怪咖。」

白熊看看他們、再看看自己：「我們也好像他們喔。」

「怎麼會呢？你比那個胖的瘦，我比那個矮的高，叮叮看起來比那個臭臉的還要……」小哲的耳朵突然被人扯住。

是叮叮，生氣的問：「你說誰的臉臭？」

「痛啊～」小哲急忙改口：「我……我是說我們會先拿到星球卡。」

「你們？」一隻大手壓在小哲的頭上，那是個六年級的大哥哥：「就憑你們這些三年級的小鬼。」

「三年級也有很厲害的，像他。」小哲把他的手推開，拉著白熊說：「他號稱百科全書。」

大哥哥哼了一聲：「胖小弟，你的九九乘法會背了嗎？」

叮叮很不高興，她跑到大哥哥面前：「我問你，烤蛋糕時，如果用 200℃ 的溫度烤 18 分鐘，改成 180℃ 時，要用多久時間？」

「啊？」大哥哥看看她：「蛋糕和數學有關嗎？」

「這就是數學，如果只想讓蛋糕底部有焦糖色，上火要多少度？下火多少度？時間又要多久？」

叮叮一直追著他問，那位大哥哥退了一步又一步，直到被一位金髮的男孩擋住。

「這些知識，網路上都查得到。」金髮男孩說：「我也是三年級，看來我們會是很好的對手。」

男孩後頭有個胖胖的男孩，和一位臉臭臭的高個兒，原來是剛才的怪咖三人組。

數感百科

小數是什麼？

我們學過1、2、3…等「**整數**」，你可以想像它是一個的「完整」數字：3個同學組一隊打籃球，1星期有7天，全班有25個人。整數是生活中隨處可見的數字。

小數則是躲在整數與整數之間的數字。它不太容易被看出，可是稍微換個角度，就會瞧見小數的存在。想像你一顆巧克力吃到一半，突然被媽媽說停，結果你回答：「才吃一半」。「一半」就是0.5，是躲在0與1之間的小數。

再從鉛筆盒拿出尺來，尺上面標示著1、2…15。但仔細想想，這把尺總共能量出幾種長度數字呢？

答案 151種。0~0.9有10個，1~1.9有10個…14~14.9有10個，加上15一共151個。

再來想想看，0到1之間又有幾個小數呢？最少有9個，因為0到1公分之間有1到9毫米，對應起來就是0.1、0.2…0.9公分。

尺上的0和1之間，又藏了不少數字。

同樣道理，0毫米到1毫米之間可不可以再分出10格呢？這樣是不是就有0.1毫米、0.2毫米……。你在0到1之間又找到了好多小數喔。

你可以想像有一個很厲害的放大鏡，每次把尺放大10倍，然後有一位手很巧的師傅，把眼前的1格切成10等分，出現了很多小數。放大鏡再放大10倍，師傅再把1格切成10等分。一直重複下去，原來0到1之間，竟然藏了好多好多個數不清的小數。

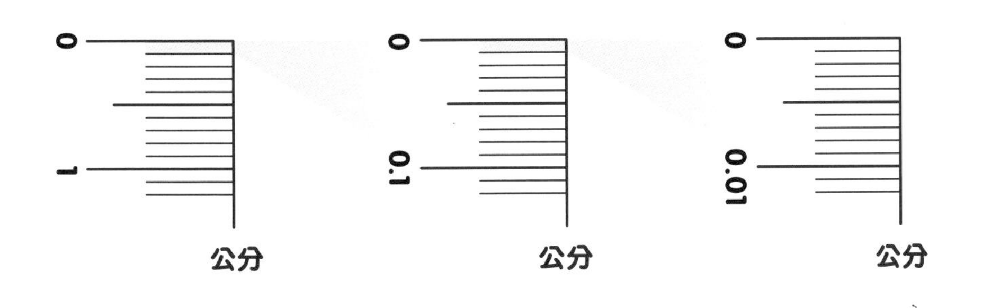

數學就愛天生作對

數學裡有很多觀念是兩兩成對，你可以把它們想成 2 個愛故意跟對方作對的朋友：加法和減法是一對，乘法和除法也是一對。它們都是一個讓數字愈來愈大，一個讓數字愈來愈小。第一集學的大數字：千、萬、億…等；它們的愛作對朋友，就是用小數表示的小數字。

$7 \times 10 = 70$　　$7 \div 10 = 0.7$

「7÷10」是將前一頁放大鏡和師傅做的事情用數學式子來表示。將 7 切成 10 等分，每一等分是 0.7；當 0.7 又再切成 10 等分，就變成 0.07，一直不斷除下去，就會得到愈來愈小的 0.007、0.0007……。然而若是 7 一直乘以 10，則得到愈來愈大的 70、700、7000……

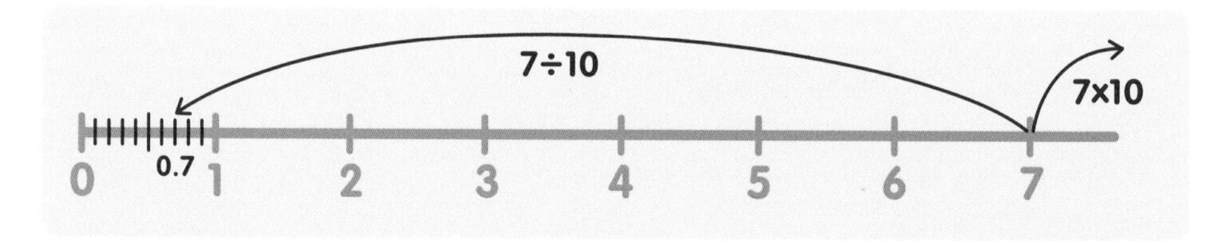

仔細觀察看看，當 7 一直除以 10，數字會愈來愈接近哪個數字呢？若是 7 一直乘以 10，那數字又會愈來愈接近哪個數字呢？

試著拔一根頭髮，測量長度。長度通常不會剛好是幾公分，用尺還會有毫米。假設頭髮長度是 5 公分 6 毫米，可以用小數表示成 5.6 公分。但剛好是 5.6 公分嗎？用放大鏡再放大髮尾，會發現髮尾又比 6 毫米那格再多一點。把 5.6 到 5.7 公分之間分出 10 格，1 格是 0.01 公分，頭髮大約是 5.62 公分吧。

如果刻度放得更大，頭髮好像又不是剛好 5.62 公分了。把 5.62 到 5.63 中間再分出 10 格；數一數，原來是 5.624 公分。當放大鏡不斷放大刻度，你就能測出更多位數的頭髮長度。

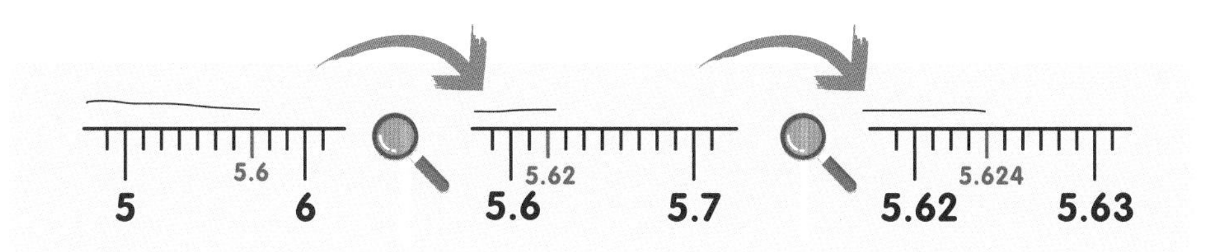

第一集的大數字讓我們能探索各種巨大的數量；而小數可以精確看見很小的事物。學會這兩種表達數字的方式，才能用大數字表達有幾根頭髮，再用小數表達頭髮的長度。對小數有了一些感覺後，就來看看小數的規則吧。

小數的規則

想像小數點是一根「釘子」，沒有這根釘子以前，像是 54 這個數字，我們從 4 的右邊補 0，數字就變大了 10 倍，因為 4 從個位數被往左擠到十位數。但如果釘了一個小數點變成 54.0，4 就被固定在個位數，補上的 0 落在十分位，往右是百分位，千分位……。而十分位又是代表什麼意思？

20 箱 3 捆

萬位數	千位數	百位數	十位數	個位數	十分位	百分位	千分位	萬分位
			2	0 .	3			

故事裡的 20 箱 3 捆，因為 10 捆＝1 箱，可以寫作 20.3 箱。「十分位」這個名字就是從這邊來的。如果你學過分數，就知道它的意思是「十分之一」，10 份裡面的 1 份。像是 0.1 只占了 1 的十分之一，所以稱為十分位；0.01 只占了 1 的百分之一，稱為百分位。愈後面的數字，每次再小 10 倍，所以是千分位、萬分位等一直往下。

個分位就是一分之一，就跟個位數一樣，
所以不用再額外設計個分位！

不可思議的小數

我們會替大數字取名字（數詞）：萬、億、兆等。小數字也有名字，從十分位到千分位依序是**「分、釐、毫」**。比方說 0.321 就會唸作 3 分 2 釐 1 毫。

有時候公尺又稱為「米」。公尺、公分、公釐就可以寫成：米、釐米、毫米。1 釐米＝1 公分＝0.01 米，1 毫米＝1 公釐＝0.001 米。釐米和毫米不就是對應到米的百分位和千分位了嗎？10 公釐＝1 公分也是基於這個概念。

你還記得「不可思議」是 1 後面有幾個 0 的大數字嗎？很小的數字也有很特別的名字，例如：「須臾」是指小數點後面有 14 個 0 的第 15 位數，「剎那」則是小數點後面有 17 個 0 的第 18 位數。這些名字在國文課都會學到，當老師說：「這兩個詞都是表示很短暫的意思。」你可以幫老師補充，告訴大家：「剎那比須臾更短，而且我還知道是短了 1000 倍喔。」

很好用的小數

沒學小數以前，一組數字由左到右的位數是愈來愈小，最小的位數停留在個位數。小數讓數字繼續往右走，更精確表示更小的數字。除了精確外，小數還有什麼用途呢？

故事中的巧克力工廠接到一筆奇怪的大賣場訂單：20箱，還多3捆、2袋、6包。

20 　3 　2 　6

這個問題在第一集時，只能用「包」為單位，先把價格換算成1包＝8000÷1000＝8元，再算出廠商一共訂20326包，總共是：

$$20326 \times 8 = 162608 \text{ 元}$$

到了這集，可以直接用箱為單位；捆、袋、包分別對應小數點後十分位、百分位、千分位，直接寫成：

$$20.326 \times 8000 = 162608 \text{ 元}$$

價格不用換算，立刻就得出答案了。因此，有了小數，我們才能更靈活表示數字。

小數的第二個用途是：**「能讓更多情境被寫成數學式子」**。想像你跟朋友要平分 7 顆巧克力，分巧克力的方式要用數學表示。可以有兩種分法：

一人 3 顆, 留下 1 顆。

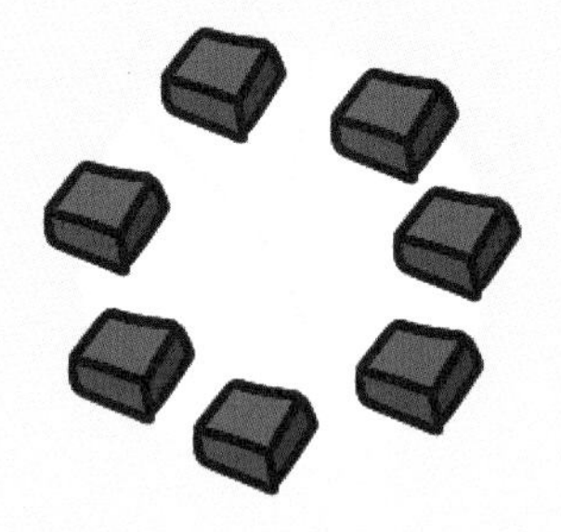

數學式子：$7 \div 2 = 3 \cdots 1$

一人 3 顆, 剩下 1 顆再分成兩半, 一人拿一半。

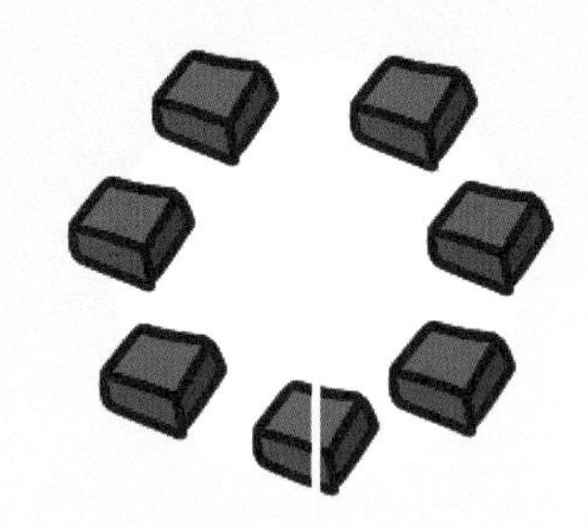

數學式子：$7 \div 2 = 3.5$

在分巧克力時，不會小數，第二種分法的算式根本寫不出來。小數是不是真的很實用呢？

不只是小數，以前學的或是將來學到的數學知識，大多都是：**「能夠靈活或是用更精簡的方式表達更多事物與情境」**。

可能有人想到剩下一顆用猜拳決定，如果想用數學表達猜拳，就要等到第六集的機率囉！

第二章

辣到流淚巧克力

金髮男孩是怪咖三人組老大，名叫方向。

「是找不到路的方向？」小哲問。

「不，是永遠都知道自己要去哪裡的方向。」方向一說，大家都笑了。

鳳凰露露拍拍手：「孩子們，巧克力工廠借場地給窩們，現在塔們的原料剛送來，窩們幫忙把原料歸位好不好？」

「好喔。」宇宙數學社的孩子說。

叮咚叮咚響的耳環在前頭響著，二十幾位孩子進入巧克力工廠最神祕的地方。

一個又一個長方型的倉庫，裡頭堆滿了各種原料：各式各樣的可可豆、香氣甜度各異的砂糖、瓶瓶罐罐的香料……

走進最後一間倉庫，外頭的門牌標誌著「0到1」。

倉庫的中間是條長長的走道，天花板上懸了一盞盞水銀燈，把倉庫照得明亮通透。走道邊有一長排架子，架上全是可可豆：有的顏色深、有的色澤亮、有的橢圓、有的方、還有長得像鈕扣的可可豆。

叮叮仔細看看架上的可可豆，她突然聞到一股辣味，拿一顆細看，長長的、紅紅的：「這是辣椒，爺爺你放錯地方了。」

老爺爺接過它，放進嘴裡嚼了嚼：「啊，這是 9 號可可豆，外號叫『辣到流淚』。它來自非洲德加拉，能做出全世界最嗆最受歡迎的巧克力，可惜我只有這一袋，想再買，門兒都沒有。」

聽到這麼神奇的可可豆，大家都要了一顆當紀念，拿起來聞一聞，真的會讓人辣到流淚，但是放進嘴裡一嚼……

「好香啊。」小哲大叫：「但是，也好辣啊。」

倉庫門口有剛送來的可可豆，它們裝在袋子裡，上頭有編號：301、21、174和8。

鳳凰露露指著那些袋子：「各位小朋友，該工作了，請幫忙把這些袋子放到架子上。」

怪咖三人組想搶快，一人扛了一袋。但是，他們很快就停下來：「袋子有號碼，貨架上卻沒有編號。」

「誰把編號藏起來？」方向在貨架間團團轉。

「你找不到方向了嗎？」小哲笑他。

方向有點生氣：「貨架沒編號，怎麼把袋子歸定位？」

老爺爺笑著說：「啊，不好意思，貨架上本來是有編號的。」

「有編號比較好找啊。」叮叮說。

「那些老員工，他們做了一輩子的巧克力，閉著眼睛都知道原料該擺哪裡，所以即使編號掉了也不必貼。久而久之，貨架就沒補上編號了。」老爺爺說。

「這下怎麼幫忙呢？」鳳凰露露有點擔心。

「這些可可豆都是按照順序擺的，編號愈大的、愈裡面。你們別擔心，只要把相同編號的可可豆放在一起，就好了。」

「大家聽到了嗎？每一組負責把 6 袋原料放上貨架，最先完成的組別……」

「拿到一張星球卡嗎？」小哲問。

巧克力爺爺宣布：「最先完成的組別，可以吃到我最新研發出來的巧克力。」

一聽到有吃的，小哲急了，在可可豆和貨架間跑來跑去，猛催其他人：「我們還不出發嗎？」

「別急別急，我們先討論一下。」白熊勸他。

「別組都出去了。」小哲恨不得立刻出發。

「好吧，你說這一包 8 號要放哪裡？」叮叮問他。

「爺爺說編號愈大愈裡面，8 號不大，一定在門口。」

小哲迫不及待抱著它，匆匆忙忙就在門口貨架開始找。

他手裡的 8 號可可豆，是一種帶著咖啡色

的豆子，讓他訝異的是，他抱著可可豆，一直找到倉庫的尾端，這才找到編號。

「好奇怪，爺爺一定說反了，8 號明明在最裡頭。」

白熊手裡的豆子，編號是 79，奇怪的是 79 竟然在 8 的前面一格，79 號是菱形的可可豆。

「79 之後是 8？」小哲歪著頭：「這沒道理，一定是工人亂放。」

叮叮在門口朝他們招手，他們跑過去，看見叮叮把一包編號 103 的豆子放到貨架上。它們是長形的紅色可可豆，味道很香醇。

「它怎麼會放在門口？」小哲拍著額頭：「它是 103 號耶。」

「我知道原因了。」叮叮看看門口，露出一個神祕的笑容。

白熊看看她，點點頭：「我也知道了。」

小哲搖搖頭：「拜託你們兩個別打暗號了，到底發生什麼事？」

白熊解釋：「這間倉庫外貼著『0 到 1』，我猜這意思應該是指裡面的原料編號都在 0 到 1 之間，對不對？」

「對什麼呀？」小哲問。

叮叮拍拍小哲的肩：「那就表示，貨架的編號是比 0 大，但是比 1 小的數，你看看可可豆的袋子。」

「就是一個普通的袋子。」小哲很不服氣。

叮叮指著袋子說：「這些編號前都有一個『.』，這袋是『.103』、那袋是『.79』，所以這不是七十九、而是零點七九。」

「如果是小數，0.103 比 0.8 小很多很多。」白熊抱歉的看著小哲：「難怪剛才你的豆子要送進最裡頭，而我的豆子 0.79 會在你前面。」

小哲憤憤不平：「小數真麻煩，為什麼不把 0.8 寫成 0.800，這樣我就算沒看到小數點，也知道 0.800 比 0.103 大。」

「你也不會把 23 寫成 0023 或 23.00 啊，其實 0.8 就夠清楚了。」

他們還在討論，卻聽見怪咖三人組發出歡呼的聲音，他們已經完成任務了。

「數學很講求精簡，沒意義的數字不會寫出來的。」白熊說：「來吧，雖然搶不到第一，說不定還能當第二呢。」

叮叮三人組的可可豆編號位置圖

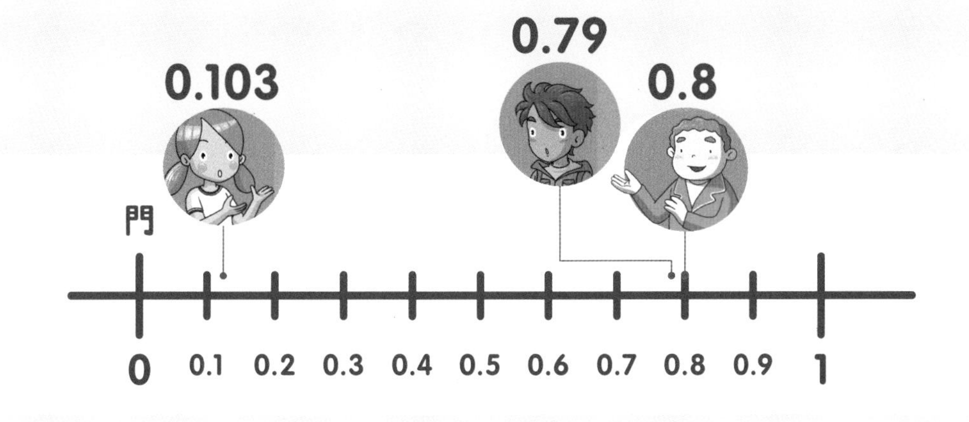

數感百科

小數的運算 I：比大小與加法

再來看看小數的運算吧，我們先從比大小開始。0.1 和 0.01 哪一個比較大，大家都知道是 0.1。如果是 0.2 和 0.199 呢？從故事裡你應該知道答案是 0.2。我們可以換一種更清楚的寫法：0.200 和 0.199，這樣就絕對知道是 0.200 了。

$$0.1 > 0.01 \qquad 0.200 > 0.199$$

只要在 0.2 後面多補兩個零，
就能輕鬆分辨出誰大誰小。

小數比大小的規則跟整數不太一樣。前面提過，整數增加位數是變成更大的數字，但小數增加位數是往更小、更精確的數字走。因此，愈多位的整數比較大，但愈多位的小數不一定比較大，只是更精準。

在小數比大小時，位數變得不重要，可以直接從十分位開始比，只要十分位比較大，這個小數就比較大。

再來看加減法，整數加減法有一個簡化的規則叫做「向右對齊」，但小數運算時向右對齊會出錯，比方說 0.2 + 0.199，讓 2 跟第二個 9 對齊，答案一定不對。那麼要改成對齊誰呢？其實重點不是向右對齊，而是要對齊每一位數。只是兩個小數的最右邊位數：0.2 是十分位，0.199 是千分位。因此，有另一個比較常用的方法——記得提過的那根釘子嗎？沒錯，就是對齊小數點。

對齊小數點，每一位數也對齊。0.199 後面兩個 9，看起來沒有對應的數字可以加。好在 0.2 可以寫作 0.200，數值依然不變，所以換個寫法，就可以發現 9 加的是 0。

0.2 + 0.199 = 0.200 + 0.199 = 0.399

$$\begin{array}{r} 0.200 \\ +\ 0.199 \\ \hline 0.399 \end{array}$$

① 對齊小數點
② 0.2 要補兩個 0

其實小數運算要沿用「向右對齊」也可以，只要把 2 個數字的小數位數，用補 0 的方式先補成一樣位數，像是 0.2 寫成 0.200，就沒問題了。數學規則一點都不死板，只要掌握原則，就很有彈性。

3

第三章

小數乘小數

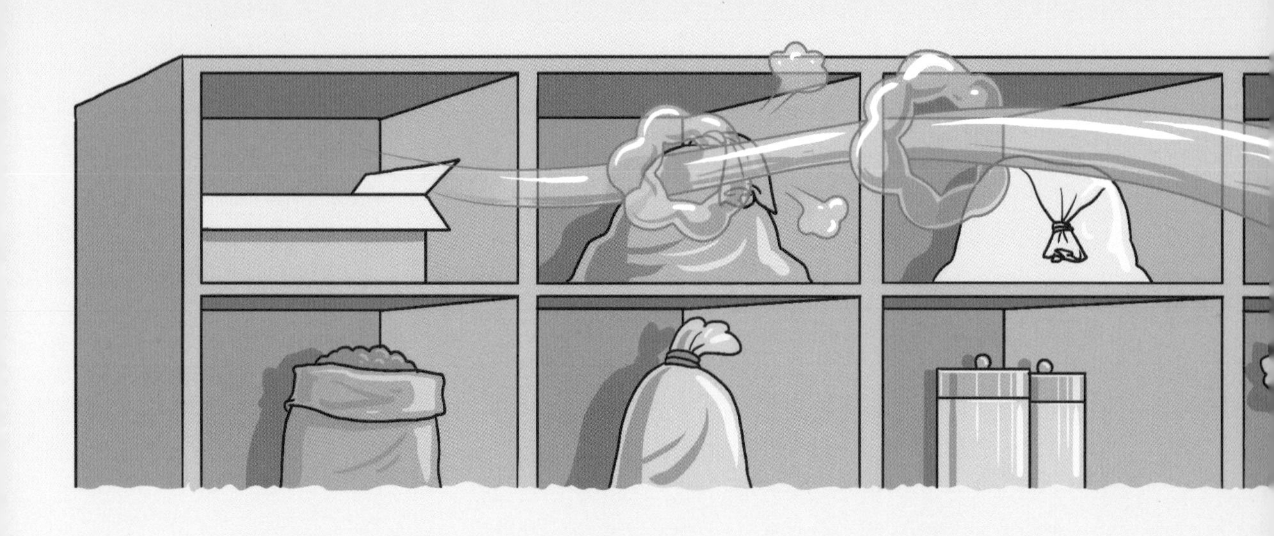

知道貨架上的數字是小數後，小朋友幫忙的速度就快了起來。

一袋袋的可可豆被放上正確位置，巧克力爺爺呵呵笑：「宇宙數學社的孩子，真不是蓋的。」

「瞧瞧我手上這一袋。」小哲手上的袋子寫著編號99。

「那我的號碼比你的更遠。」方向揚揚他的袋子，編號999。

小哲現在對數字敏銳多了：「沒什麼了不起，你只不過比我多0.009。」

「那就看看誰先把豆子放到架子上啊。」方向一說完，抱著袋子往前衝。小哲雖然個子小，但跑步卻很快。他後來居上，一下子就跑到最後一格的貨架，找到 99 號可可豆，順利把它們放上去。

方向也幾乎同時把袋子放上去，兩個人舉起手擊個掌：「一樣快。」

「對，我先跑，但我比你遠了 0.009 的距離，所以我們一樣快。」

他們笑嘻嘻回到門口，發現地上只剩下兩個袋子了。一個編號2、一個編號3。只是，所有人都靜靜的望著袋子沉思。

小哲問：「怎麼了？」

方向補充：「你們沒力氣了嗎？」

白熊看著袋子也在想，沒空講話。叮叮負責解釋：「這兩袋看起來是0.2和0.3，但是我們從1走到4，中間都沒有跟它們一樣的豆子。」

怪咖三人組不相信，尤其是方向：「一定是你們眼花了。走，讓我們三個人去找。」他們抓了幾顆豆子，開始在貨架間來回比對。

「沒有。」

「不像。」

怪咖三人組的聲音遠了。

小哲也在比對，他蹲在白熊身邊，抓了一大把編號2的豆子，任由它們從指間滑落，那感覺像一道黃色的流沙。小哲記得：「貨架上沒有黃色的可可豆。」

「這袋是藍色的豆子。」叮叮抓了一把3號的可可豆，和小哲一樣，看它們從手裡流下去。乾燥的豆子，發出沙啦啦的聲音。哪有可可豆是藍色的呢？她把手舉得更高、豆子掉得更快，有的還不小心跳到了2號的袋子裡。

她想撿回來，好玩的是，藍色的豆子掉進黃豆子的袋裡後，它們竟然像活了起來，開始蠕動、旋轉，從豆子內發出一陣冷冷的藍光。

藍光照耀下，幾顆黃豆子也跟著扭動，散發出黃色的光芒。這兩種光一接觸，瞬間變成綠色。

「好玩、好玩。」小哲忍不住把更多的豆子混合在一起，它們的光芒變更亮了。等到光芒消失，天哪！那兩袋黃色與藍色的豆子，全變成一顆顆半透明翡翠綠的可可豆。

「太詭異了吧？」小哲退了一步。

「不不不，或許這才是答案。」白熊想了想：「我們把步驟再想一次，我們剛剛做了什麼？」

「豆子混在一起，變色了啊。」小哲說。

「所以，把 2 號和 3 號加在一起……」叮叮也在想。

「2 + 3，是 5。」小哲跳起來，抱著豆子衝出去。

他一下子就經過怪咖三人組，嘴裡哇啦哇啦的喊著：「我們找到答案了，是 5。」

「5？」怪咖三人組緊跟著他，四個人跑到 0.5 的貨架附近，卻只見到一種醜不拉嘰的灰黑可可豆，沒有綠色的。

「2+3 明明是 5 啊。」小哲自言自語回去找白熊：「不對，不是加法。」

「那一定是相乘，2 乘 3……」跟著回來的怪咖三人組立刻調頭，朝 6 號貨架狂奔跑去。

「那是我們想到的。」小哲想追上去，手卻被白熊牢牢抓住：「別追！」

「為什麼？」

「他們錯了。」叮叮和小哲同時看著白熊：「哪裡錯了？」

「0.2×0.3 是 0.06」

「0.06？怎麼可能會愈乘愈小？」小哲一路喃喃自語，但是當他和白熊走到門口，就在大門的附近。沒錯，貨架上真的有一小罐半透明翡翠綠的可可豆。

白熊朝大家笑了笑，他把那些可可豆放上去。然後，最不可思議的事發生了。

那一小罐可可豆裡頭，緩緩浮現一張帶著微光的卡片，上頭明明白白出現一顆星球的影像。天哪！那是一張宇宙星球卡。

拿到了星球卡，他們三個都好興奮。

出去的時候，還在嘰嘰喳喳說個沒完，全沒注意到，其他二十幾個宇宙數學社的學生，露出多少羨慕與嫉妒的眼神。

「我們要趕快收集完 3 張。」小哲開心的比劃著，一不小心，啪擦！什麼東西掉到地上。

叮叮眼尖，替他撿起來，是超商點數卡。

但是，她發現那張點數卡其實是摺起來的。數一數，一共有二十格。

「小哲，你才集 3 格，不是 0.3，應該說你才集了 $\frac{3}{20}$ 才對！」白熊笑了笑。

「$\frac{3}{20}$ 和 0.3 不一樣嗎？」小哲吶吶的問，白熊和叮叮卻騎得飛快。

「到底哪裡不一樣嘛～」他的聲音拉得長長：「你們說啊～」

為什麼 0.3 不等於 $\frac{3}{20}$？還有星球卡最終謎題 0.2×0.3 為什麼會愈乘愈小？拿到星球卡別太開心，趕緊進入數感百科學習小數的祕密吧！

數感百科

小數的運算 II：小數乘小數

最後我們來看看小數乘小數，那是故事裡小哲他們贏過怪咖三人組的關鍵：「0.3×0.2 = 0.06」。

你可能會對這道式子很好奇。我們知道 2×3 = 6，但為什麼 0.3×0.2 得到的 6 會擺在小數第二位，而不是 0.6 呢？

一口氣來看 3 道算式：

① 3× 2 = ?	很簡單 3×2=6
② 0.3× 2 = ?	試著用加法思考， ×2 就是自己跟自己加一次。 0.3+0.3=0.6
③ 0.3× 0.2 = ?	乘數變成 0.2，比第二題小了 10 倍，自然就是 0.3×（2÷10）=0.6÷10=0.06

有些書上會整理口訣：**「被乘數與乘數的小數位數和＝積的小數位數」**。用 0.3×0.2 = 0.06 的例子來看：0.3 是被乘數，0.2 是乘數，兩個各自有 1 位小數，相加起來是 2 位，所以乘出來的結果（也就是積）是 0.06。0.06 就有兩位小數。

口訣很正確，也很好記、好用、但還要理解背後的關鍵道理是：**「小數是比1還小的數字」**。

以0.5來說，我們知道它是一半的意思。8×0.5，用加法的觀點來看是「半個8」，意思是4，跟8÷2是一樣的道理。事實上，這兩個式子在數學上相等：

$$8 \times 0.5 = 8 \times (1 \div 2)$$

因此，一個整數乘上小數，一定會變得比原來的整數還小。同樣的道理，小數乘小數的積，也一定比原來的兩個小數都小（註）。某種程度上，小數乘法可以看成「整數除法」。因為得到的結果只有「部分的自己」，就像除法那樣被切割的感覺。

註：如果小數的整數部分不是0，那相乘的結果會更大。

對小數乘法有概念後，我們可以用數學的語言來完整描述。別怕接下來一連串的數學式子，仔細看，它其實把概念說得更清楚。先來看這個算式：

兩個 ÷10 代表了 3 和 2 擺在十分位

$$0.3 \times 0.2 = (3 \div 10) \times (2 \div 10)$$

等式右邊的 ÷100，說明乘出來的 6 得放在百分位。100 是兩個 10 相乘的結果。

$$(3 \div 10) \times (2 \div 10) = 3 \times 2 \div 10 \div 10 = 3 \times 2 \div 100$$

左邊的 0.3 和 0.2 的最小位數都是十分位，右邊的 ÷100 是百分位。十分位是小數第一位，百分位是小數第二位，剛好就是左邊的 1 位小數 +1 位小數 = 右邊的 2 位小數。

再看一個例子：

$$0.25 \times 0.8 = 0.200$$

$$\rightarrow (25 \div 100) \times (8 \div 10) = 25 \times 8 \div 1000$$

左邊兩個數字的小數位數分別到百分位與十分位，右邊到 100×10 的千分位。也就是左邊的 2 位小數 + 1 位小數 = 右邊的 3 位小數。

你可能發現還有一個地方怪怪的：0.200到千分位，可是通常會寫成0.2，因為剛好後面兩個數字都是0。數學喜歡使用精簡的表示方法；另一方面是你寫0.200，旁邊同學寫0.20，後面同學寫0.200000，雖然都是正確答案，但寫法比較混亂，不能一目了然，所以我們統一用0.2。但請看清楚，這並沒有違反剛剛的口訣，只是算出來後又省略0而已。

講到這邊，來整理小數乘法的幾個步驟：

① 記下被乘數的位數+乘數的位數。

② 拿掉被乘數與乘數的小數點，看作兩個整數相乘。

③ 相乘結果的個位數，放在「被乘數的小數位數+乘數的小數位數」，就是答案。

你都知道每一步驟背後的原因了嗎？公式或口訣都是自己想通一個觀念後，整理出來的智慧結晶，並不是別人幫我們整理好，背起來考試用的工具而已。

數感遊戲

從小方塊到大方塊

從巧克力工廠回來後幾天，學校美勞課要大家用各種顏色的方塊積木做畫。正方形積木有紅色、黃色、綠色、黑色等 4 種顏色；積木也有大有小。叮叮要拼一朵花、白熊想做一張自畫像。只有小哲不擅長美勞，想偷懶，拖拖拉拉到快下課，才趕快選了大塊積木。白熊在旁邊笑說：「小哲的作品好像電腦效能不夠，解析度好差。」

另一邊，同學圍著叮叮發出讚嘆。叮叮很有美術天分，她用小積木做出漂亮精緻的作品。也想試試看怎麼用積木拼出畫像嗎？不如，也來拼一幅。

遊戲道具 請從書末遊戲配件頁自行影印後剪取

❶ 邊長 2 公分的方塊積木卡

紅色 32 張、黃色 32 張、綠色 32 張、黑色 32 張，共 128 張。
大積木是 4 個小積木卡組成。超大積木是 4 個大積木卡組成。

遊戲玩法

構思你的創作，想想要用哪些顏色的積木卡，依照指示各別使用 3 種大小的積木卡作出同一幅畫。

使用 80 張 邊長 2 公分的小積木卡
使用 20 張 邊長 4 公分大積木卡
使用 5 張 邊長 16 公分超大積木卡

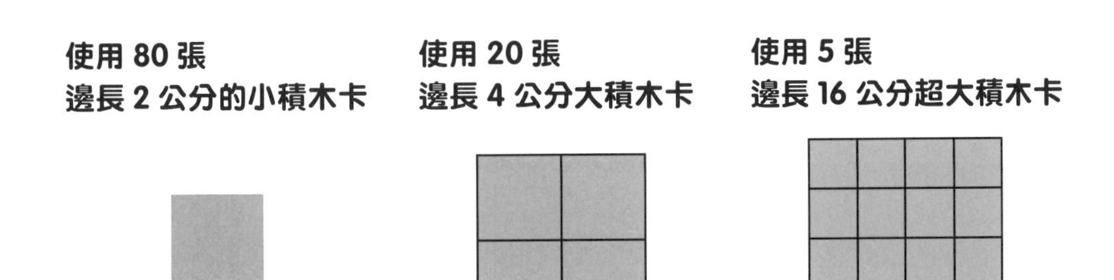

記錄每一幅作品所使用到的每種顏色積木卡數量。可以的話，用手機拍下 3 幅作品照片比較。製作大積木卡或超大積木卡時注意，每一塊要用同一種顏色。所以每做一幅新作品時，需要調整各種顏色積木卡的數量。

比較3幅作品，你會發現用大積木卡作畫時，儘管比較快做完，但輪廓邊邊有很多稜角，顏色變化得也沒有那麼流暢。用上超大積木卡時，可能連身為作者的你都看不太懂這是什麼了。相較之下，小積木卡的作品清楚逼真許多。

數數看3幅作品中使用到各色積木卡數量，再將第一幅畫得到的積木卡數量除以80、第二幅畫得到的數字除以20、第三幅畫得到的數字除以5。除完後就得到4種顏色各占全部的多少比例。記得用小數來表示！

各色積木卡的使用數量與比例	**第一幅畫** 總積木卡數 80 張		**第二幅畫** 總積木卡數 20 張		**第三幅畫** 總積木卡數 5 張	
	數量	**比例**	**數量**	**比例**	**數量**	**比例**
黑色積木卡						
紅色積木卡						
綠色積木卡						
黃色積木卡						

數感思考

有沒有發現，第一幅畫不僅更清楚，計算每種顏色積木卡數量占全體積木卡多少時，小數點後出現的位數也比較多。如果拼的是一朵花，有葉子、花瓣等部位，也可以用類似的方法來計算每個部位占全體的比例。同樣的，第一幅畫算出的小數點後面位數都會比較多。

比起超大或大積木卡，小積木卡可以更精確表現出想要的顏色、感覺與作品的每一個細節——這就是精準的威力。小數則是將「有多精準」變成數字的數學語言。

最後想想看，為什麼第一幅作品，最多會用到小數點後第 4 位的數字（像是 1 塊黑色小積木卡，占全部的 0.0125）；第二幅圖最多會用到小數點後第 2 位的數字（例如 1 塊黑色大積木卡，占全部的 0.05）；而第三幅圖，只會用到小數點後 1 位的數字呢？

給家長的數感叮嚀

孩子大約在小學3年級會第一次接觸到小數：一位小數、兩位小數、數線與分數小數等循序漸進。本集的「小數的乘法」是5年級的範圍，以國小數學來說，只剩下6年級「小數的除法」沒有提到。通常分數會在小數之前介紹，因為小數是分母為10、100、1000……的特殊表示法。然而生活中小數似乎比分數更常被看見，所以本書直接進入小數，分數將在下一集「比」提到。如果小朋友已經懂得分數，就更容易理解本書的數學知識。

本書故事著重在比較複雜（小朋友通常不喜歡）的小數運算，後半段的數感百科再回到「小數是什麼」、「小數的規則與用途」等觀念性介紹。最後一段再深入探討小數運算的法則，讓小朋友了解公式的意義。背公式、記口訣的「背誦式數學學習法」雖有一定效果；但當公式變多、變複雜，並且不僅要背，還要判斷何時該使用什麼公式時，就不能僅靠著記憶來解決各種數學問題。

公式是理解原理後，歸納出來的知識結晶，理解的過程不能假手他人，不能看老師在黑板上寫一次，或是像唸國語課本一樣唸過去就算了。一定得拿起筆來，親自推導一遍。死記公式就像拿筆姿勢錯誤或駝背一樣，一看見就必須要提醒矯正，免得長大時深受其害。請家長務必和我們一起陪小朋友養成正確的學習觀念。

開墾數字的世界

學會小數後，小朋友就能多用好多數字。之前，他們只會使用正整數「1、2、3……」。這些數字稱為自然數，是日常生活中最容易看見的數字。小數與分數拓展了人們對數字的視野，原來2個連續整數之間還存在許多（正確的說是無限多）個數字。上國中後他們將學會負數，無理數、複數，逐漸建立起對「數」的全方位認知。除了學會更多數學知識，感受到「知識如何往外拓展」的過程也很重要。畢竟，他們將來有機會肩負起替人類建立新知識的使命。

小數的規則與用途

認識更多的數，意味著能用數學表達更多現象。如同前面的例子，分配東西時「一人一半」、「一份切成好幾小份」的分法，一定得用到分數或小數才能抽象化、用數學算式表達。數學是一種語言，學會小數等於一口氣學了很多單字，讓許多原本講不出來的情境，如今都可以表達得非常清楚與精確了。

小數的另一個用途是「用不同的表達方式去表達同一件事物」。故事中用「箱」當作單位，搭配小數計算價錢，就是一個例子。如果只會整數，就得回到最小的單位「包」，步驟不僅變多，數字大也不好算。1道題目算對是第一步，能夠找到最簡單、最精巧的計算方法，反應出來的不只是寫考卷速度更快，也是更有數學素養的體現。

再來講講小數的名字，這部分對應了第一集的大數字：億、兆、京（10^{16}）……不可思議（10^{64}）。不管是東西方，小數也有類似的名詞。英文沿用千進位，在單字前加一個詞頭，如代表千分之一 $0.001=10^{-3}$ 的毫（milli），百萬分之一 $0.000001=10^{-6}$ 的微（micro），10^{-9} 的奈（nano）。中文則有文學裡常見的須臾（10^{-15}，小數點後第15位數）、剎那（10^{-18}）。學會了這麼多有趣的大數字跟小數，您不妨跟小朋友腦力激盪一下：

「10 萬毫米是幾米？」
「1 京個須臾是多少？」
「1 不可思議個剎那呢？」

第1題答案是100米，第2題的答案是10，第3題，就留給您想想看囉。

小數的運算

小數的加減運算規則乍看跟整數不一樣：小數是對齊小數點，整數是向右對齊。但多想幾步，就會發現它們是源於同一個直覺的規則：兩個數字的每一個位數彼此對齊，十位數對十位數、十分位數對十分位數、個位數對個位數。唯有對齊了，才能計算，以及進（借）位。

進一步看，你會發現這向右對齊與對齊小數點其實是相通的。如果你在整數的個位數右邊點一個小數點，其實向右對齊就是對齊小數點；如果你運用補零的技巧，讓兩個小數的最小位數相同，對齊小數點的同時，也就向右對齊了。學數學時常常會有這種機會，學到一個新觀念，但轉個彎後發現，他跟舊觀念相容。「知新而溫故」，跟過往的知識比較，更能融會貫通，因此很鼓勵家長在小朋友學數學時，盡量嘗試把相似的觀念放在一起比較，讓兩個小圈圈，融合成一個大圈圈。

最後聊聊小數乘法，書中是使用加法來說明。不過，如果小朋友懂分數，只要用「分子乘分子、分母乘分母」的概念，能更容易理解相乘後的答案：小數位數是被乘數跟乘數的小數位數相加。

$$0.2 \times 0.3 = \frac{2}{10} \times \frac{3}{10} = \frac{6}{100} = 0.06$$

分母10是1位小數位數，分母100是2位小數位數，分母是10的幾次方，就是幾位小數位數。

$$0.02 \times 0.003 = 0.00006$$

分母是：**$100 \times 1000=100000$**。用次方表示法會更好解釋：**$10^2 \times 10^3=10^5$**，指數（右上角的數字）是**$2+3=5$**，恰好對應了被乘數有2位小數，乘數有3位小數，積有5位小數。

數感小學冒險系列套書企劃緣起

國立臺灣師範大學電機工程學系助理教授、
數感實驗室共同創辦人／賴以威

我要向所有關心子女數學教育的家長，認真教學的國小老師脫帽致意，你們在做一件相當不容易的事，因為根據許多國際調查，臺灣學生普遍不喜歡數學、對自己的數學能力沒信心，認為數學一點都不實用。這些對數學的負面情意，不僅讓我們教小朋友數學時得不斷「勉強」他們，許多研究也指出，這些負面情意會讓學習效果大打折扣。

我父親是一位熱心數學教育的國小教師，他希望讓大家覺得數學有趣又實用，教育足跡遍布臺灣。父親過世後，我想延續他的理念，從2011年開始寫書演講，2016年與太太珮妤一起成立「數感實驗室」，舉辦一系列給小學生的數學實驗課，其中有一些受到科技部的支持，得以走入學校。我們自己編寫教材，試著用生活、藝術、人文為題材，讓學生看見數學是怎麼出現在各領域，引發他們對數學的興趣，最後，希望他們能學著活用數學（我們在2018年舉辦的數感盃青少年寫作競賽，就是提供一個活用舞台）。

「看見數學、喜歡數學、活用數學」。這是我心目中對數感的定義。
2年來，我們遇到許多學生，有本來就很愛數學；也有的是被爸媽強迫過來，聽到數學就反彈。六、七十場活動下來，我最開心的一點是：周末上午3小時的數學課，我們從來沒看過一位小朋友打瞌睡，還有好幾次被附近辦活動的團體反應可不可以小聲一點。別忘了，我們上的是數學課，是常常上課15分鐘後就有學生被周公抓走的數學課。

可惜的是，我們團隊人力有限，只能讓少數學生參與數學實驗課。於是，我從30多份自製教材中挑選出10個國小數學主題，它們是小學數學的重點，也是我認為與生活息息相關。並在王文華老師妙手生花的創作下，合作誕生這套《數感小學冒險系列套書》。這套書不僅適合中高年級的同學閱讀。我相信就算是國中生、甚至是身為家長與教師的您，也能從中認識到一些數學新觀念。

本套書的寫作宗旨並非是取代學校的數學課本，而是與課本「互補」，將數學埋藏在趣味的故事劇情中，讓讀者體會數學的樂趣與實用。書的故事讓小讀者看到數學有趣生動的一面；「數感百科」則解釋了故事中的數學觀念，發掘不同數學知識之間的連結，和文史藝術的連結；再來的「數感遊戲」延續數學實驗課動手做的精神，透過遊戲與活動，讓小朋友主動探索數學。最後，更深入的數學討論和故事背後的學習脈絡，則放在書末「給家長的數感叮嚀」，讓家長與老師進一步引導小朋友。

過去幾年來，我們對教育有愈來愈多元的想像，認同知識不該只是背誦或計算，而是真正理解和運用知識的「素養教育」。許多老師和家長紛紛投入，開發了很多優秀的教材、教案。希望這套書能成為它們的一份子，得到更多人的使用，也希望它能做為起點，之後能一起設計出更多體現數學之美的書籍與活動。

王文華╳賴以威的數感對談

用語文力和數學力
破解國小數學之壁

不少孩子怕數學，遇到計算題，沒問題。但是碰上應用題，只要題目文字長些、題型多點轉折，他們就亂了。數學閱讀對某些孩子來說像天王山，爬不上去。賴老師，你說說，這該怎麼辦？

這是個很有趣的現象，我們希望小朋友覺得數學實用（小朋友也是這麼希望），但跟現實連結的應用題，卻常常是小朋友最頭痛的地方。我覺得這可能有兩種原因：

① 實用的數學情境需要跨領域知識，也因此它常落在三不管地帶。

② 有些應用題不夠生活化、也不實用，至少無法讓小朋友產生共鳴。

原來如此，難怪我和賴老師在合作這套書的過程，也很像在寫一個超級實用又有趣的數學應用題。不過你寫給我的故事大綱，讀起來像考卷，有很多時候我要改寫成故事時，還要不斷反覆的讀，最後才能弄懂。

呵呵，真不好意思，其實每次寫大綱都想著「這次應該有寫得更清楚了」。你真的非常厲害，把故事寫得精彩，就連數學內涵都能轉化得輕鬆自然。我自己也喜歡寫故事，但看完王老師的故事都有種「還是該讓專業的來」的感嘆。

這並不是賴老師太壞心，也不是我數學不好，而是數學學習和文學閱讀各自本來就是不簡單，兩者加起來又是難上加難，可是數學和語文在生活中本來就分不開。再者，寫的人與讀的人之間也是有著觀感落差，往往陷入一種自以為「就是這麼簡單，你怎麼還不懂」的窘境。

而且賴老師，我跟你說：大人們總是覺得看起來簡單得要命的小學數學，為什麼小孩卻不會？

最大一個原因在於大人忘了他們當年學習的痛苦。

小朋友怎麼從一個具象的物體轉換成抽象的數學呢？

→ 當小朋友看到一條魚（具體）

→ 腦中浮現一隻魚的樣子（一半具體）

→ 眼睛看到有人畫了一條魚（一半抽象）

→ 小朋友能夠理解這是一條魚，並且寫出數字1

大人可以一步到位的1，對年幼的孩子來講，得一步步建構起來。

還有的老師或家長只一昧要求孩子背誦與解題，忽略了學習的樂趣，不斷練習寫考卷。或是題型長一點，孩子就亂算一通。最主要的原因是出在語文能力不足，沒有大量閱讀的基礎，根本無法解決落落長又刁鑽得要命的題型。

以色列理工學院的數學教授阿哈羅尼（Ron Aharoni）提到，一堂數學課應該要有三個過程：從具體出發，畫圖，最後走向抽象。小朋友學習數學的過程非常細微，有很多步驟需要拆解，還要維持興趣。照表操課講完公式定理也是一堂課，但真的要因材施教，好好教會小朋友數學，是一門難度很高的藝術。而且老師也說得沒錯，長題型的題目也需要很好語文理解能力，同時又需要有能力把文字轉譯成數學式子。

確實如此，當我們一直忘記數學就存在生活中，只強調公式背誦與解題策略，讓數學脫離生活，不講道理，孩子自然害怕數學。孩子分披薩，買東西學計算，陪父母去市場，遇到百貨公司打折等。數學如此無所不在，能實實在在跟數量打足交道，最後才把它們變化用數學表達出來。

沒有從事數學推廣前，我也不覺得數學實用、有趣。但這幾年下來，讀了許多科普書、與許多數學學者、老師交流後，我深信數學是非常實用的知識，甚至慢慢具備了如同美感、語感一樣的「數感」。我也希望透過這套作品，想要品味數學的父母與孩子感受到數學那閃閃發亮的光芒，享受它帶來的樂趣。

讓孩子喜歡數學的絕佳解方

臺灣大學電機工程系教授、PaGamO 創辦人／葉丙成

要讓孩子願意學習，最重要的是讓他們覺得學這東西是有用的、有趣的。但很多孩子對數學，往往興趣缺缺。即便數學課本也給了許多生活化例子，卻還是無法提起孩子的學習熱忱。

當我看到文華兄跟以威合作的這套《數感小學冒險系列》，我認為這就是解方！書裡透過幾位孩子主人翁的冒險故事，帶出要讓孩子學習的數學主題。孩子在不知不覺中，隨著主人翁在故事裡遇到的種種挑戰，開始跟主人翁一起算數學。這樣的表現形式，能讓孩子對數學更有興趣、更有感覺！

而且整套書的設計很完整，不是只有故事而已。如果只有故事，孩子可能急著看完冒險故事就結束了，對於數學概念還是沒有學清楚。每本書除了冒險故事外，還有另外對應的數學主題的教學，帶著孩子反思剛才故事中所帶到的數學主題，把整個概念介紹清楚，確保孩子在數學這一部分有掌握這次的主題概念。

更讓我驚豔的，是每本書最後都有一個對應的遊戲。這遊戲可以讓孩子演練剛才所學到的數學主題概念。透過有趣的遊戲，讓孩子可以自發地做練習數學，進而培養孩子的數感。我個人推動遊戲化教育不遺餘力，所以看到《數感小學冒險系列》不是只有冒險故事吸引孩子興趣，還用遊戲化來提昇孩子練習的動機。我真心覺得這套書，有機會讓更多孩子喜歡數學！

用文學腦帶動數學腦，幫孩子先準備不足的先備經驗

彰化原斗國小教師／林怡辰

數學，是一種精準思考的語言，但長期在國小高年級第一教學現場，常發現許多孩子不得其門而入，眉頭深鎖、焦慮恐懼。如果您的孩子也是這樣，那千萬別錯過「數感小學冒險系列」。

由小朋友最愛的王文華老師用有趣濃厚的故事開始，故事因為主角而有生命和情境，再由數感天王賴以威老師在生活中發掘數學，連結生活，發現其實生活處處都是數學，讓我們系統思考、解決問題，再引入教具，光想就血脈賁張。眼前浮現一個個因為太害怕而當機的孩子，看著冰冷數字和題目就逃避的臉孔。喔！迫不及待想介紹他們這套書！

專對中高年級設計，專對孩子最困難的部分，包括國小數學的大數字進位、時間、單位、小數、比與比例、平面、面積和圓、對稱、立體與展開，不但補足了小學數學課程科普書的缺乏，更可貴的是不迴避正面迎擊孩子最痛苦的高階單元。最重要的是，讓喜歡文學的孩子，在閱讀中，連結生活經驗，增加體驗和注意，發現數學處處都是，最後，不害怕、來思考。

常接到許多家長來信詢問，怎麼在學校之餘有系統幫助孩子發展數學運思，以往，我很難有一個具體的答案。現在，一起閱讀這套書、思考這套書、操作這套書，是我現在最好的答案。

從 STEAM 通向「數感」大門！

臺南師範大學附設小學教師／溫美玉

閱讀《數感小學冒險系列》就像進入「旋轉門」，你能想像門一打開，數學會帶你到哪些多變的領域嗎？

數學形象大翻身

相信大部分孩子對數學的印象，都跟這套書的主角小哲剛開始一樣吧？認為數學既困難又無趣，但我相信當讀者閱讀本書，跟著小哲進入「不可思『億』巧克力工廠」、加入「宇宙無敵數學社」後，會慢慢對數學改觀。為什麼呢？因為這本書蘊含「數感」這份寶藏！「數感」讓數學擺脫單純數字間的演練、習題練習，它彷彿翻身被賦予了生命，能在生活、藝術、科學、歷史中處處體會！

未來教育5大元素，「數感」一把抓

以下列舉《數感小學冒險系列》的五大特色：

①「校園故事」串起3人冒險

有故事情節、個性分明的角色，讓故事貼近孩子的生活。

②「實物案例」數學也能在日常生活中刷存在感

許多生活中理所當然的日常用品，都藏有數學的原則。像是鞋子尺寸（單位）、腳踏車前後齒輪轉動（比與比例）等，從中我們會發現人生道路上，數學是你隨時可能撞見的好朋友。

③「創意謎題」點燃孩子求知心

故事中的神祕角色鳳凰露露老師設計了許多任務情境，當中巧妙融入數學概念的精神。藉由解謎過程，能激發孩子對數學概念的思考。

④「數感百科」起源/原理/應用一把罩

從歷史、藝術、工程、科學、數學原理等層面總結概念，推翻數學只是「寫寫算算」的刻板印象。

⑤「數感遊戲」動手玩數學

最後，每單元都附有讓孩子實際操作的遊戲，讓數學理解不再限於寫練習題！

STEAM的最佳代言人！

STEAM是目前國外最夯的教育趨勢，分別含括以下層面：
科學（Science）、科技（Technology）、工程（Engineering）、藝術（Art）以及數學（Mathematics）。但學校的數學課本礙於篇幅，無法將每個數學概念的起源、應用都清楚羅列，使孩子在暖身不足的情況下就得馬上跳入火坑解題，也難怪他們對數學的印象只有滿山滿谷的數字符號及習題。

若要透澈一個概念的發展歷程、概念演進、生活案例，必須查很多資料、耗很多時間，幸虧《數感小學冒險系列》這本「數學救星」出現，把STEAM五層面都萃取出來，絕對適合老師/家長帶領高年級孩子共讀（中、低年級有些概念太難，師長可以介入引導）。以下舉一些書中的例子：

① **科學** Science
「時間」單元的地球自轉、公轉概念。

② **科技** Technology
科技精神涵蓋書中，可以帶著孩子上網連結。

③ **工程** Engineering
「比與比例」單元的腳踏車齒輪原理。

④ **藝術** Art
「比與比例」單元的伊斯蘭窗花、黃金螺旋。

⑤ **數學** Mathematics
為本書的主體重點，包含故事中的謎題任務及各單元末的「數感百科」。

你發現了什麼？畢竟是實體書，因此書中較少提到「科技」層面，我認為這時老師/家長可以進行的協助是：

指導他們以「Google搜尋 / Google地圖」自主活用科技資源，查詢更多補充資料，比如說在「單位」單元，可以進行特定類型物件的重量/長度比較（查詢「大型動物的體重」，並用同一單位比較、排行）；長度/面積單位也可以活用Google地圖，感受熟悉地點間的距離關係。如此一來，讓數學不再單單只是數學，還能從中跨越科目進入自然、社會、資訊場域，這套書對於STEAM或素養教學入門，必定是妙用無窮的工具書。

增加「數學感覺」也是我平常上數學課時的重點，除了照著課本題目教以外，我也會時時在進入課程前期、中期進行提問（例如：「為什麼人類需要小數？它跟整數有什麼不同？可以解決生活中的什麼事情？」。在本書的應用上，可以結合這樣的提問，讓孩子先自己預測，再從書中找答案，最後向師長說明或記錄的評量方式，他們便能印象更鮮明。總而言之，我認為比起計算能力的培養，「數感」才是化解數學噩夢的治本法門，有了正向的「數學感覺」，才有可能點亮孩子對數學（甚至是自然、社會、資訊等）的喜愛，快用《數感小學冒險系列》消弭孩子對數學科的恐懼吧！

數感小學冒險系列

數感遊戲配件1

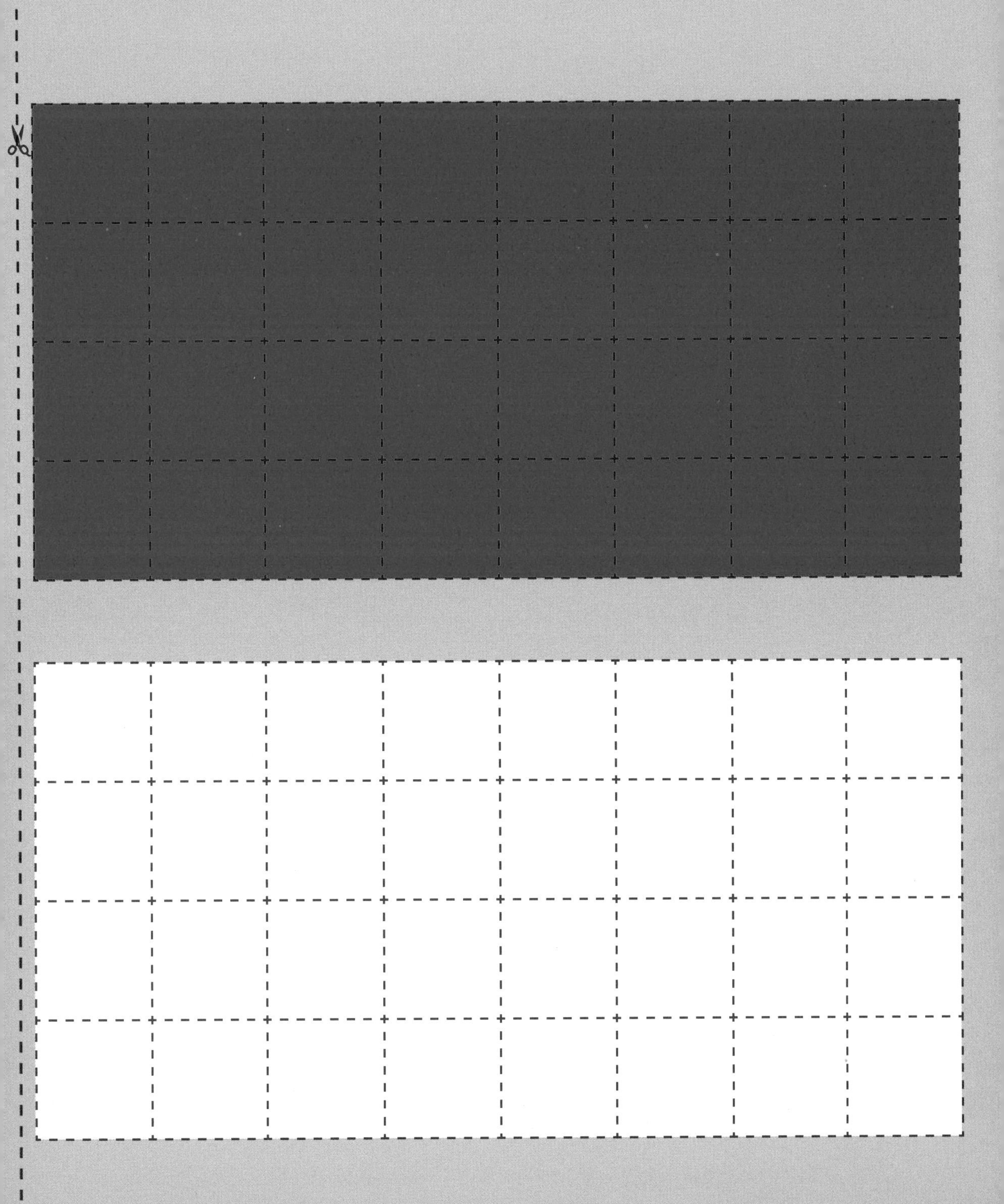

數感小學冒險系列

數感遊戲配件2

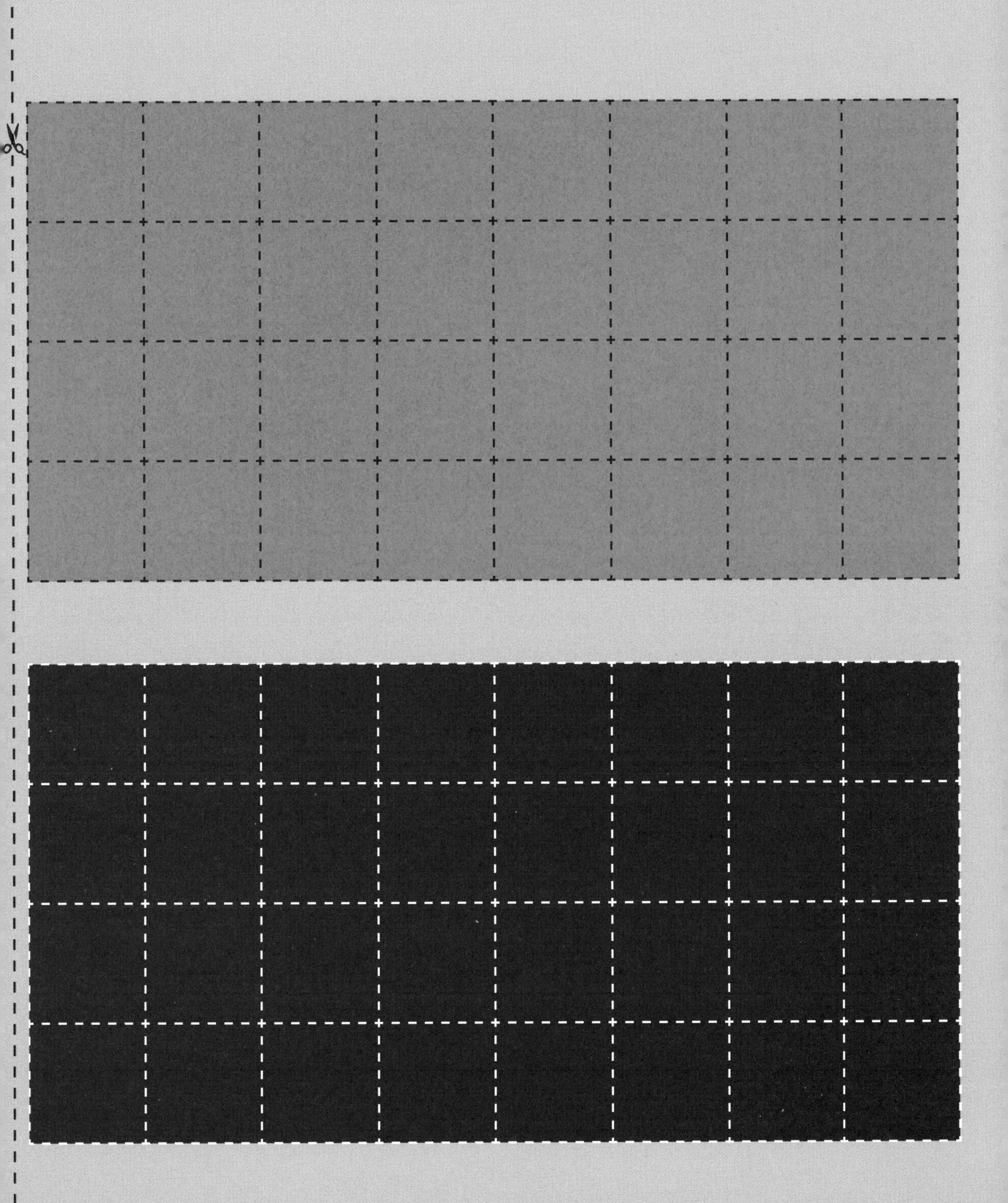

知識讀本館

作者 王文華、賴以威
繪者 BO2、楊容
照片提供 Shutterstock、維基百科

責任編輯 呂育修
文字編輯 高凌華
美術設計 洋蔥設計
行銷企劃 陳雅婷

天下雜誌群創辦人 殷允芃
董事長兼執行長 何琦瑜
媒體暨產品事業群
總經理 游玉雪
副總經理 林彥傑
總編輯 林欣靜
行銷總監 林育菁
主編 楊琇珊
版權主任 何晨瑋、黃微真

出版者 親子天下股份有限公司
地址 台北市 104 建國北路一段 96 號 4 樓
電話 (02) 2509-2800
傳真 (02) 2509-2462
網址 www.parenting.com.tw
讀者服務專線 (02) 2662-0332 週一～週五：09:00 ～ 17:30
讀者服務傳真 (02) 2662-6048
客服信箱 parenting@cw.com.tw
法律顧問 台英國際商務法律事務所・羅明通律師
製版印刷 中原造像股份有限公司
總經銷 大和圖書有限公司 (02) 8990-2588

出版日期 2020 年 4 月第二版第一次印行
2024 年 4 月第二版第七次印行
定價 300 元
書號 BKKKC143P
ISBN 978-957-503-576-1 (平裝)

訂購服務
親子天下 Shopping shopping.parenting.com.tw
海外・大量訂購 parenting@cw.com.tw
書香花園 台北市建國北路二段 6 巷 11 號 (02) 2506-1635
劃撥帳號 50331356 親子天下股份有限公司

國家圖書館出版品預行編目 (CIP) 資料

星球卡爭奪戰 / 王文華, 賴以威文 ; BO2,
楊容圖 . -- 第二版 . -- 臺北市 : 親子天下, 2020.04
面； 公分 . -- (數感小學冒險系列 ; 4)

ISBN 978-957-503-576-1(平裝)

1. 數學教育 2. 小學教學

523.32 109003370

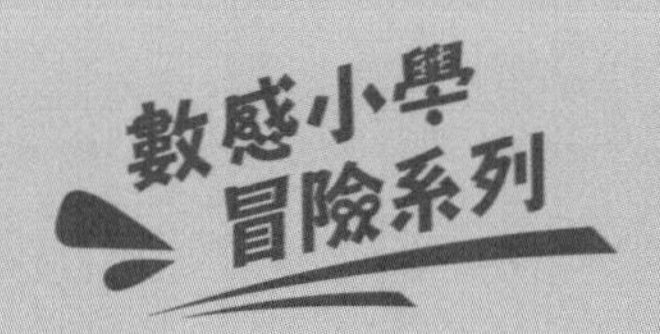